Homenaje a Franz Marc

Colección **libros para soñar**

Título original: The Artist who Painted a Blue Horse

© del texto y de las ilustraciones: Eric Carle, 2010
Caballo Azul I, por Franz Marc @ Superstock
© de la traducción: Chema Heras, 2012
© de esta edición: Kalandraka Ediciones Andalucía, 2012
Avión Cuatro Vientos, 7
41013 Sevilla
Telefax: 954 095 558
andalucia@kalandraka.com
www.kalandraka.com

Impreso en Italia
Primera edición: marzo, 2012
ISBN: 978-84-92608-54-6
DL: SE 9592-2011

El texto de este libro se ha compuesto en Walbaum, cuerpo 36.
Las ilustraciones fueron creadas usando la técnica de collage con papel de seda pintado.

EL ARTISTA QUE PINTÓ UN CABALLO AZUL

Eric Carle

kalandraka

Soy artista

y pinto...

un caballo azul

y…

un cocodrilo rojo

y...

una vaca amarilla

y...

un conejo rosa

y...

un león verde

y...

un elefante naranja

y…

un zorro violeta

y...

un oso polar negro

y...

un burro de colores.

¡Soy un artista!

Franz Marc, *Caballo Azul I*, 1911. Stadtische Galerie im Lenbachhaus, Munich, Alemania. @ SuperStock.

FRANZ MARC nació en Alemania en 1880. Le encantaba pintar animales de colores brillantes y poco comunes.
La crítica tradicional de su tiempo no apreció sus ideas innovadoras y sus pinturas poco convencionales de figuras estilizadas y peculiares colores. Pero Marc y algunos otros artistas afines formaron un grupo que tuvo gran influencia en los movimientos modernos y expresionistas. Sus cuadros de caballos azules son particularmente conocidos. Franz Marc murió en la Primera Guerra Mundial. En el bolsillo de su uniforme encontraron su cuaderno de bocetos con treinta y seis dibujos a lápiz que, según le escribió a su esposa, pensaba pintar al óleo cuando regresara del frente.

ERIC CARLE nació en Estados Unidos en 1929, pero pasó su niñez en Alemania. En aquel momento, la represión del régimen nazi prohibía la creación o exhibición de arte moderno, expresionista o abstracto por ser considerado «degenerado».
Pero un día, cuando Eric tenía doce o trece años, su profesor de arte, Herr Krauss, le mostró a escondidas algunas obras prohibidas. «Me gusta la libertad y soltura que hay en tus dibujos y pinturas –le dijo–, pero solo me permiten enseñar arte realista.» Y, señalando las reproducciones, continuó diciendo: «Fíjate bien en la soltura, la libertad y –¡ay! – la belleza de estos cuadros. Los nazis no tienen ni idea de lo que es un artista; ¡son unos ignorantes!».
Al principio, a Eric le resultó extraño aquel arte y temió que Herr Krauss se hubiera vuelto loco. Ahora Eric dice: «mi burro de colores, mi león verde, mi elefante naranja y otros animales pintados de colores "equivocados" nacieron aquel día, hace setenta años».